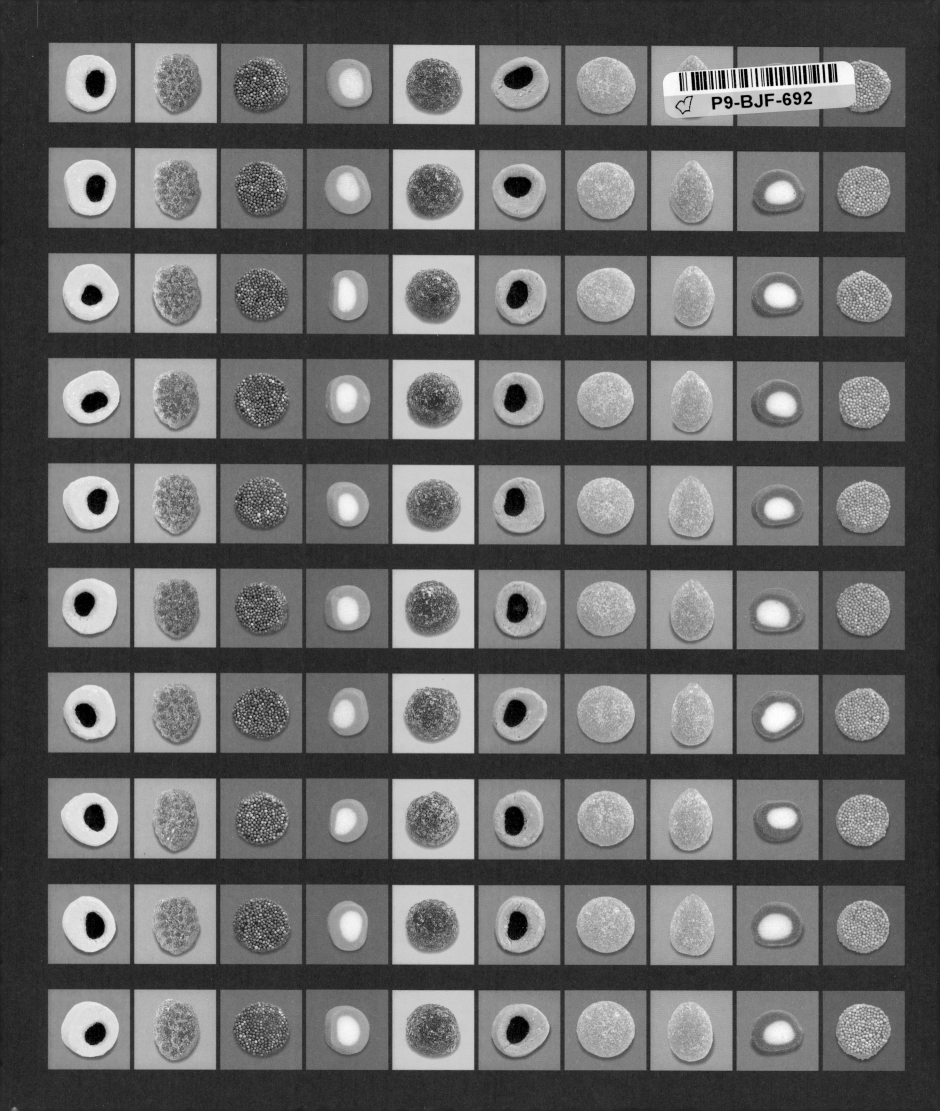

P9-BJF-692

Mon premier livre de chiffres

L'outil idéal pour apprendre à compter

Chez Picthall

Les éditions Scholastic

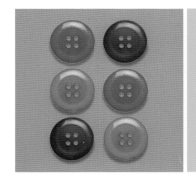

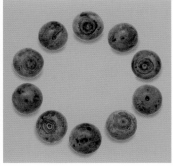

Édition publiée par Les éditions Scholastic, 175 Hillmount Road, Markham (Ontario) L6C 1Z7

Créé et produit par Picthall and Gunzi Limited

Rédaction : Margaret Hynes
Conception graphique : Paul Calver
Graphisme : Tony Cutting et Ray Bryant
Conseillères : Diana Bentley, détentrice d'une maîtrise en littérature jeunesse, et Jane Whitwell, éducatrice spécialisée
Photographie : Steve Gorton et Andy Crawford
Photographie d'animaux sauvages : Jane Burton
Production : Lorraine Estelle
Directrice de la rédaction : Christiane Gunzi

Catalogage avant publication de la Bibliothèque nationale du Canada
Picthall, Chez
    Mon premier livre de chiffres / Chez Picthall.
    Traduction de: My world numbers.
    Pour les jeunes.
    ISBN 0-439-97420-8
    1. Calcul--Ouvrages pour la jeunesse. I. Titre.
QA141.3.P5214 2003   j513.2'11   C2002-904299-2

Reproduction : Colourscan, Singapour
Impression et reliure : Wing King Ton, Chine

Picthall and Gunzi aimerait remercier les personnes suivantes de leur contribution au cours de la production de ce livre :
Lucia Allen, Jane Burton (Warren Photograph), Margaret Darby, Molly Ellington, Aliyah Green, Lewis Hawkins, Christopher Hinson (Eight by Four), Peter Picthall, Yuki Price, Amber Sayers, Lily Smith, Susan Stowers, Anthony Stubbs, Jesse Tyrell

L'éditeur tient à remercier les personnes et entreprises ci-dessous de lui avoir gracieusement permis de reproduire leurs photographies :
Swatch Watches p. 16; Getty Images : AJA Productions p. 25, Peter Cade p. 25, Jim Cummins p. 25; Sony UK p. 26; Lawrence Manning/Corbis p. 26; Jane Burton p. 21 et p. 26.

5 4 3 2 1   Imprimé en Chine   03 04 05 06

Table des matières

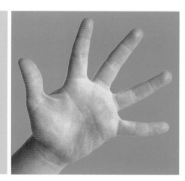

Note aux parents et aux enseignants

Créé à l'intention des jeunes enfants, **Mon premier livre de chiffres** a été élaboré en collaboration avec des parents et des experts en éducation. Il constitue une excellente introduction à l'univers des chiffres et des mathématiques. À l'aide de questions interactives et de jeux soigneusement élaborés, ce premier livre de mathématiques original aidera les parents, les éducateurs et les enseignants à explorer les concepts mathématiques élémentaires avec des enfants de moins de sept ans. En créant un environnement qui stimule la communication, **Mon premier livre de chiffres** permettra à l'enfant d'âge préscolaire d'acquérir des compétences essentielles dans le domaine de la reconnaissance des nombres et du développement du langage.

Ce premier livre de mathématiques coloré et divertissant est un outil important pour aider votre enfant à se familiariser avec les concepts mathématiques de base. Tous les concepts élémentaires y sont abordés, y compris la numération, les paires, les figures géométriques, les motifs, les suites et le calcul.
Cet ouvrage a été conçu pour développer les compétences des enfants de façon progressive et naturelle. Page après page, les concepts deviennent de plus en plus complexes et difficiles. Les symboles qui figurent en haut de chaque page vous aideront à identifier et à renforcer chacun des concepts mathématiques abordés.

Concepts mathématiques	
123	numération
⫻/	suites
↗	correspondance
⊞	motifs
⯅	paires
↧	classification
±	calcul
⯆	figures géométriques
◉	orientation spatiale
⊓	mesure

Les symboles figurant en haut de chaque page indiquent les concepts mathématiques dont traite la page.

Comment utiliser ce livre

Lorsque vous consultez ce livre avec l'enfant, il est important de créer une atmosphère calme qui l'aidera à établir son propre rythme. Veillez à l'encourager souvent et à terminer la lecture sur une note positive. Si vous encouragez l'enfant à s'amuser avec les chiffres, vous l'aiderez à acquérir de la confiance et vous l'amènerez à aimer les mathématiques. En utilisant ce livre avec votre enfant, demandez-lui d'aller au-delà de ce que montrent les pages, et proposez-lui de compter les objets qu'il voit autour de lui.

Parlez-lui des chiffres que vous rencontrez dans la vie de tous les jours, ainsi que de ceux qui ont une signification pour lui, comme son âge, son adresse, son numéro de téléphone ou sa pointure de souliers. Rappelez-vous que les enfants apprennent plus vite lorsqu'ils s'amusent. Peu importe la façon dont vous utiliserez ce livre, de nombreuses heures de plaisir et d'apprentissage vous attendent.
Amusez-vous bien!

Quelques conseils :

• Installez-vous de manière confortable pour lire avec votre enfant.
• Encouragez-le et félicitez-le.
• Avancez à son rythme et permettez-lui de choisir les pages qu'il préfère.
• Parlez-lui des chiffres, surtout de ceux qui ont une signification particulière pour lui.
• Signalez-lui des nombres, des paires et des ensembles quand vous vous promenez.
• Faites-le participer à des activités qui requièrent l'utilisation de la numération et de la mesure, comme la cuisine.
• Si vous connaissez des comptines numériques, apprenez-les à votre enfant.

Des questions interactives stimulantes aident à faire le lien entre l'oral et l'écrit.

En haut de chaque page, des symboles identifient les concepts mathématiques abordés.

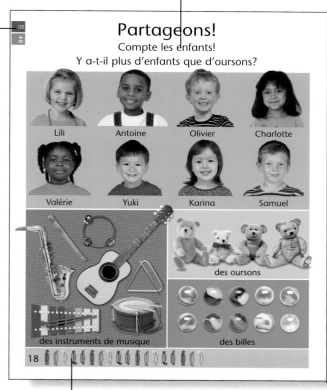

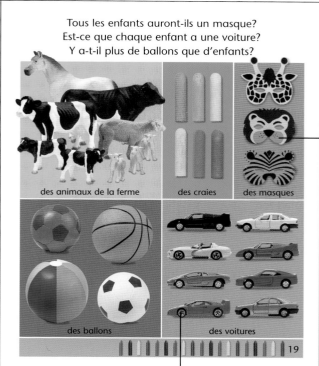

Des jeux soigneusement élaborés rendent les mathématiques amusantes pour les jeunes enfants.

Les petits objets correspondant aux numéros de pages sont amusants à chercher et à compter.

Les photographies aux couleurs vives représentant des objets familiers suscitent l'intérêt des enfants.

Compte de 1 à 10!
Combien vois-tu de chapeaux?
Combien y a-t-il de gâteaux roses?

1 poupée

2 chats

3 cadeaux

4 bâtonnets glacés

5 chapeaux

6 gâteaux

6

Peux-tu compter les coquillages?
Combien de châteaux de sable ont un drapeau jaune?
Compte les fleurs!

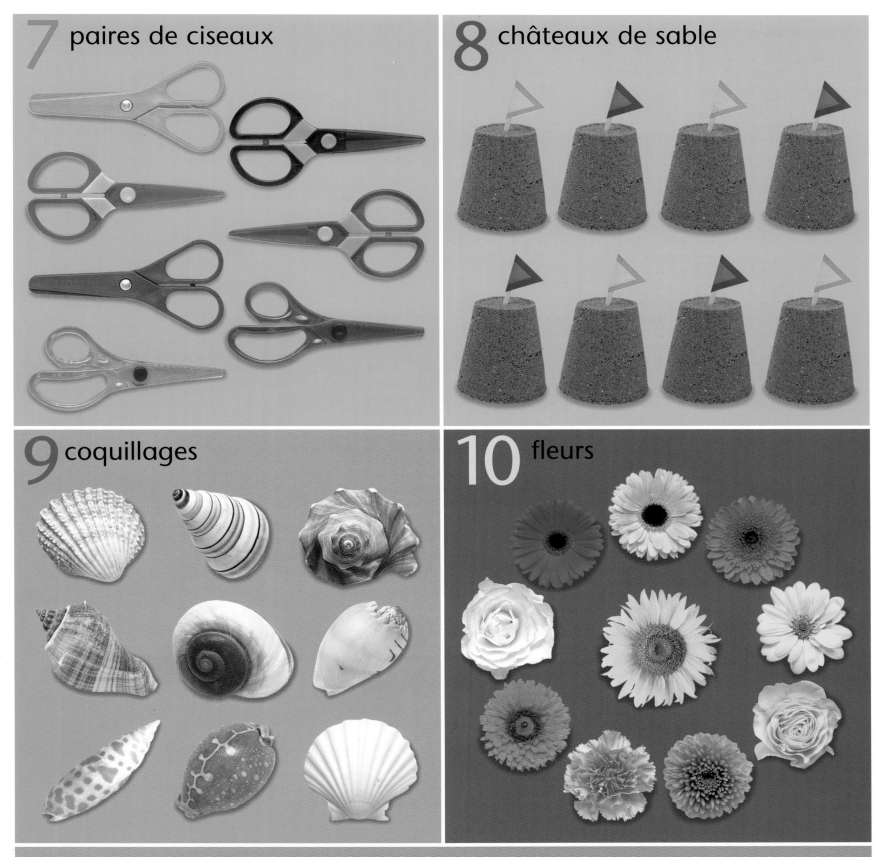

7 paires de ciseaux

8 châteaux de sable

9 coquillages

10 fleurs

Compte de 11 à 20!

Peux-tu compter de 1 à 20?
Combien de voitures y a-t-il?

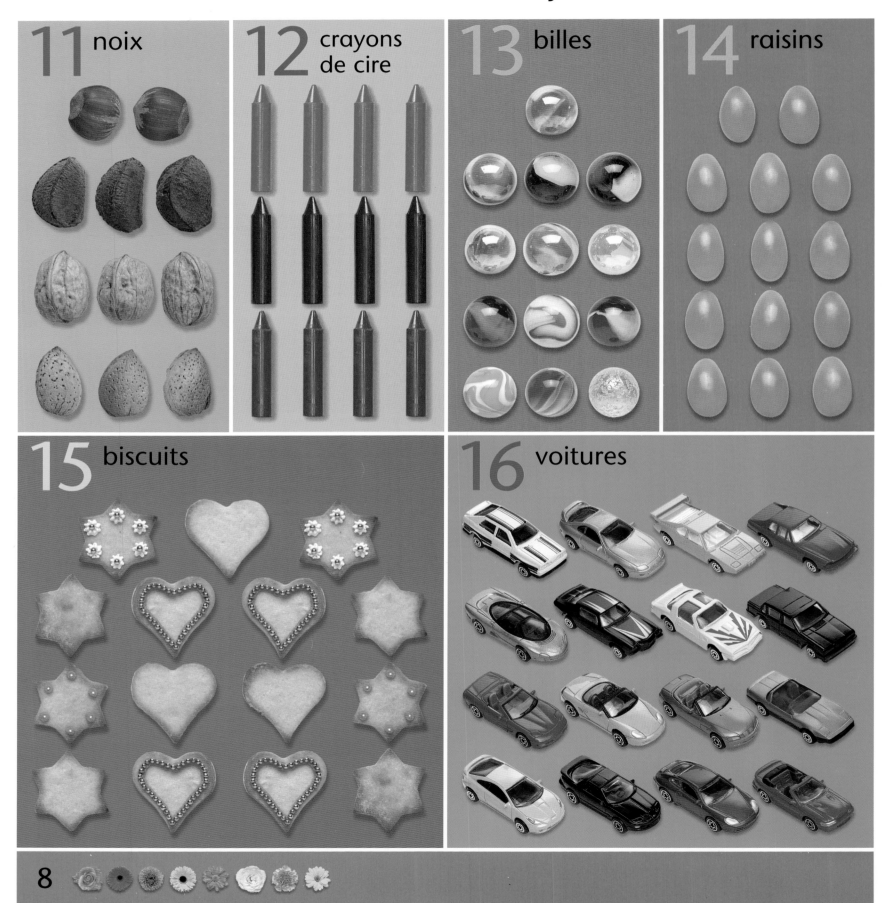

11 noix

12 crayons de cire

13 billes

14 raisins

15 biscuits

16 voitures

Combien vois-tu de fraises?
Compte les boutons verts!
Combien y a-t-il de bonbons?

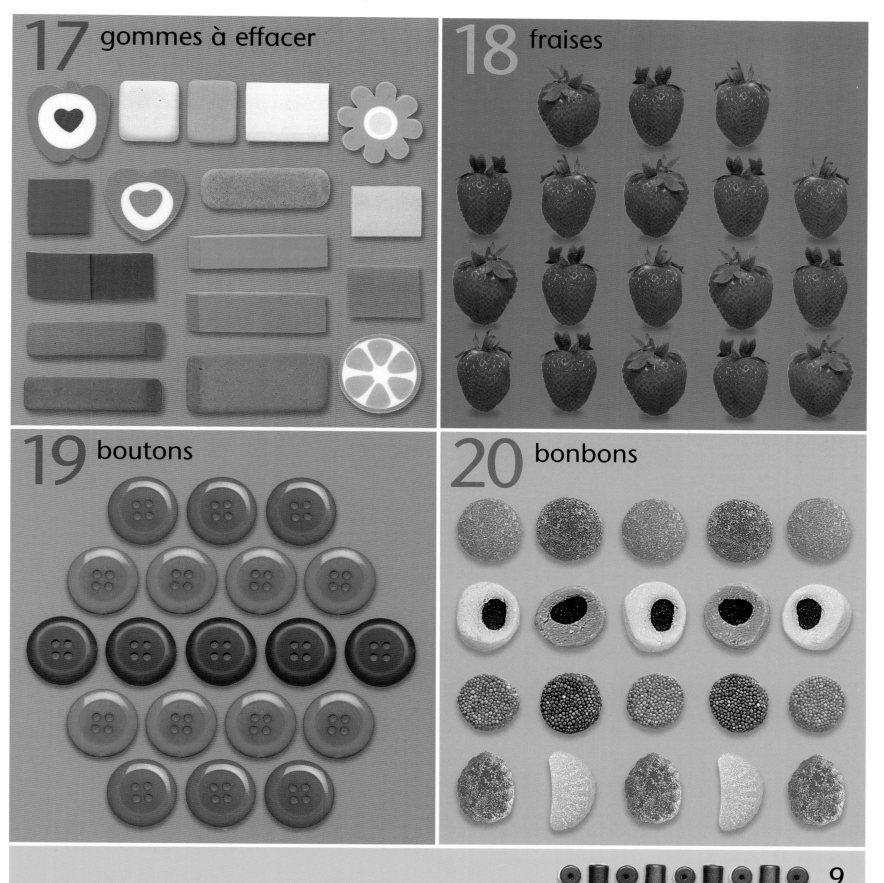

17 gommes à effacer

18 fraises

19 boutons

20 bonbons

Jeu d'association

Compte et associe les chiffres et les objets!
Quel chiffre correspond aux clous?

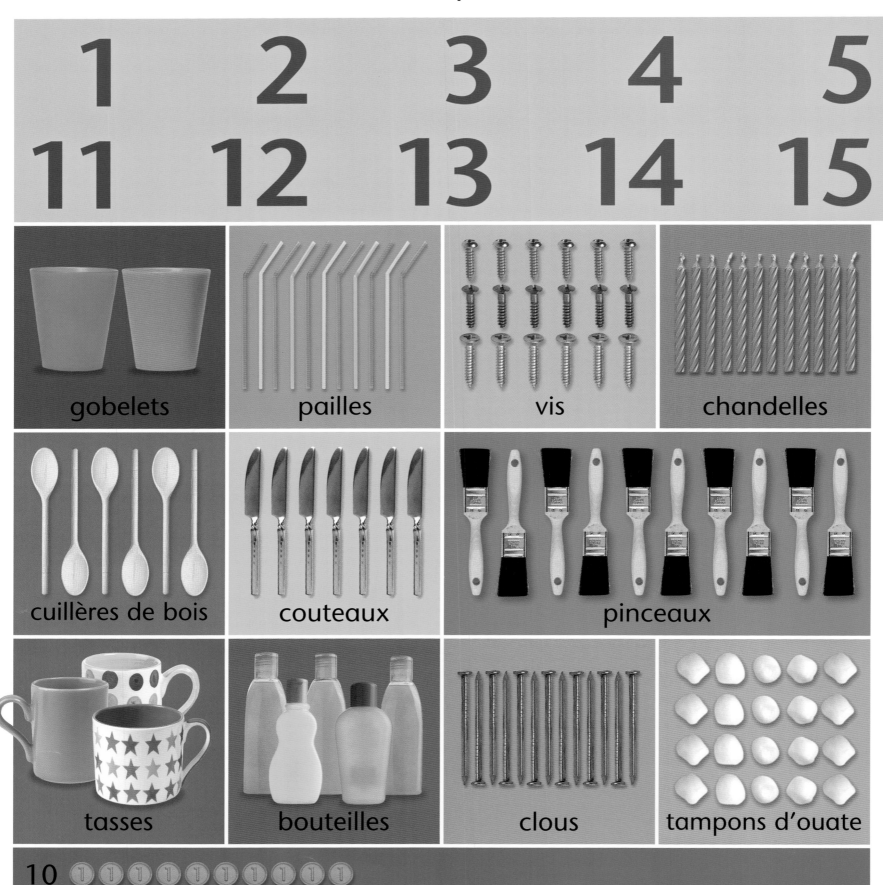

1	2	3	4	5
11	12	13	14	15

gobelets

pailles

vis

chandelles

cuillères de bois

couteaux

pinceaux

tasses

bouteilles

clous

tampons d'ouate

10

Quel chiffre correspond aux brosses à dents?
Trouve un groupe de 16 objets!
Quel chiffre correspond au nombre de tournevis?

6	7	8	9	10
16	17	18	19	20

assiette

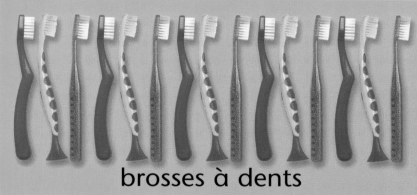

brosses à dents

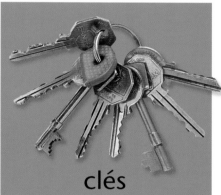

clés

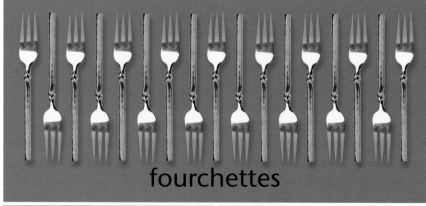

fourchettes

pots de peinture

emporte-pièces

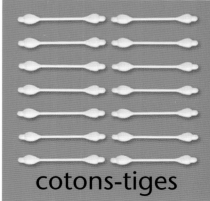

cotons-tiges

clés à écrous

tournevis

Trouve les chiffres!

Où sont les chiffres 4 et 19?
Vois-tu un ensemble de 13 objets?

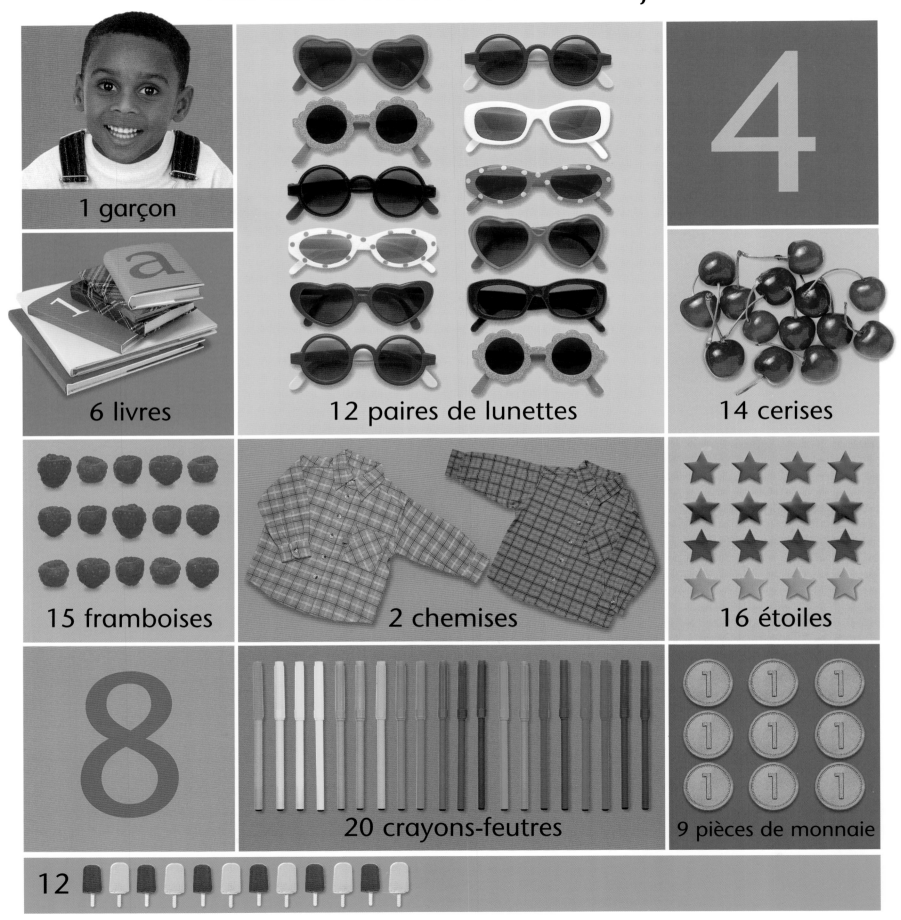

1 garçon

6 livres

12 paires de lunettes

4

14 cerises

15 framboises

2 chemises

16 étoiles

8

20 crayons-feutres

9 pièces de monnaie

12

Où sont les chiffres 8 et 11?
Montre le chiffre le plus élevé!
Combien y a-t-il d'éléments dans chaque groupe?

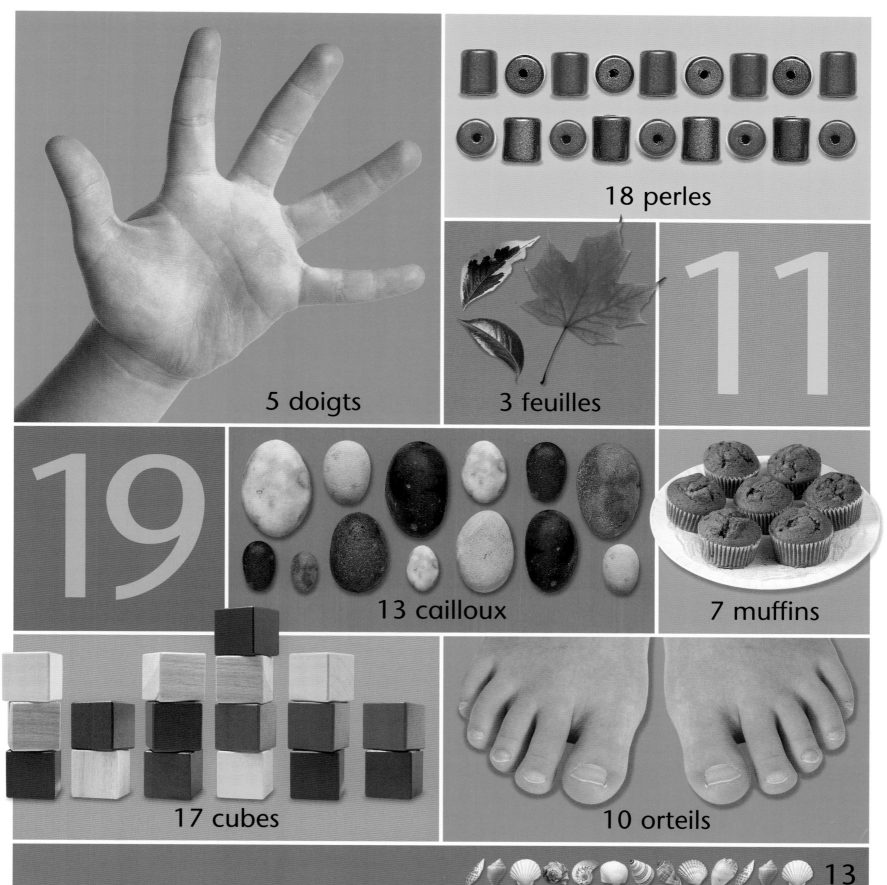

5 doigts

18 perles

3 feuilles

13 cailloux

7 muffins

17 cubes

10 orteils

Les vêtements

Quels vêtements enfiles-tu en premier?
Est-ce que ta tuque est la troisième chose que tu mets?

1er
2e
3e
4e
5e
6e
7e
8e
9e
10e

ma tuque

mes sous-vêtements

mes gants

mon foulard

mon pantalon

mon manteau

Quels vêtements mets-tu avant tes bottes?
Lesquels mets-tu après ton manteau?
Dans quel ordre enfiles-tu tes vêtements?

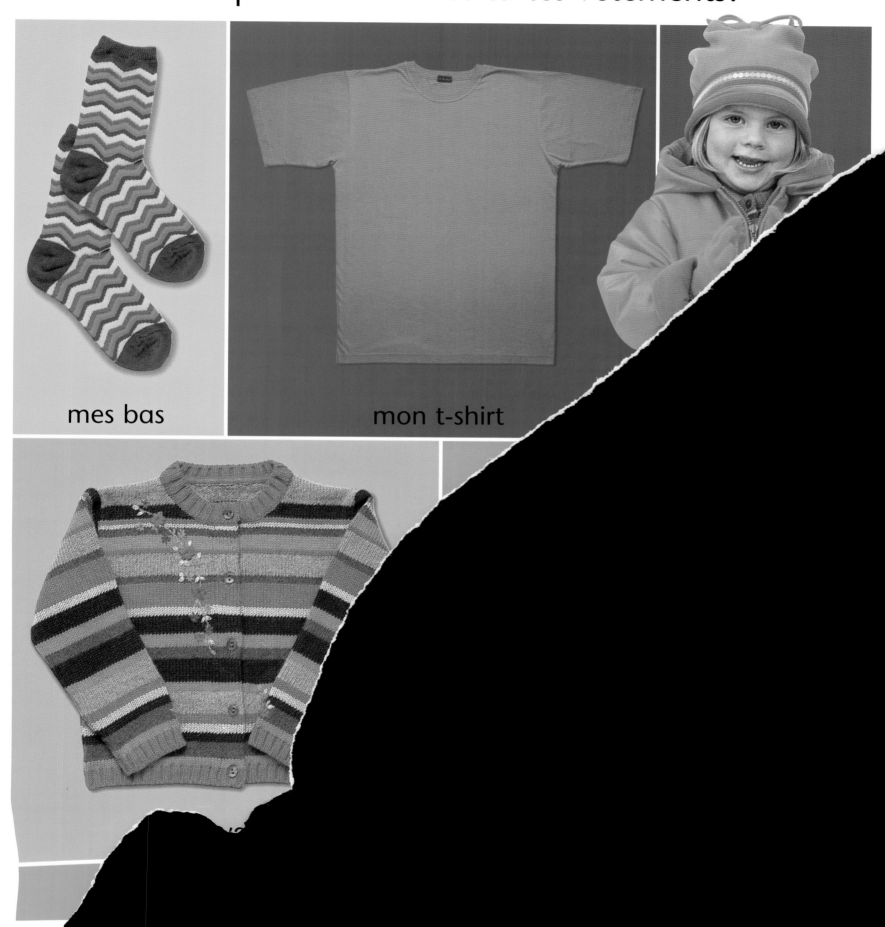

mes bas

mon t-shirt

Les chiffres manquants

Quel chiffre manque sur le téléphone?
Combien de chiffres manquants peux-tu trouver?

des horloges

règle

une montre

D	L	M	M	J	V	S
			1	2	3	4
5	6	7	8	9		11
	13	14		16	17	18
		21	22	23	24	
	27	28	29		31	

Les chiffres mélangés

Remets les groupes d'objets en ordre numérique.
Peux-tu compter à rebours à partir de 5?

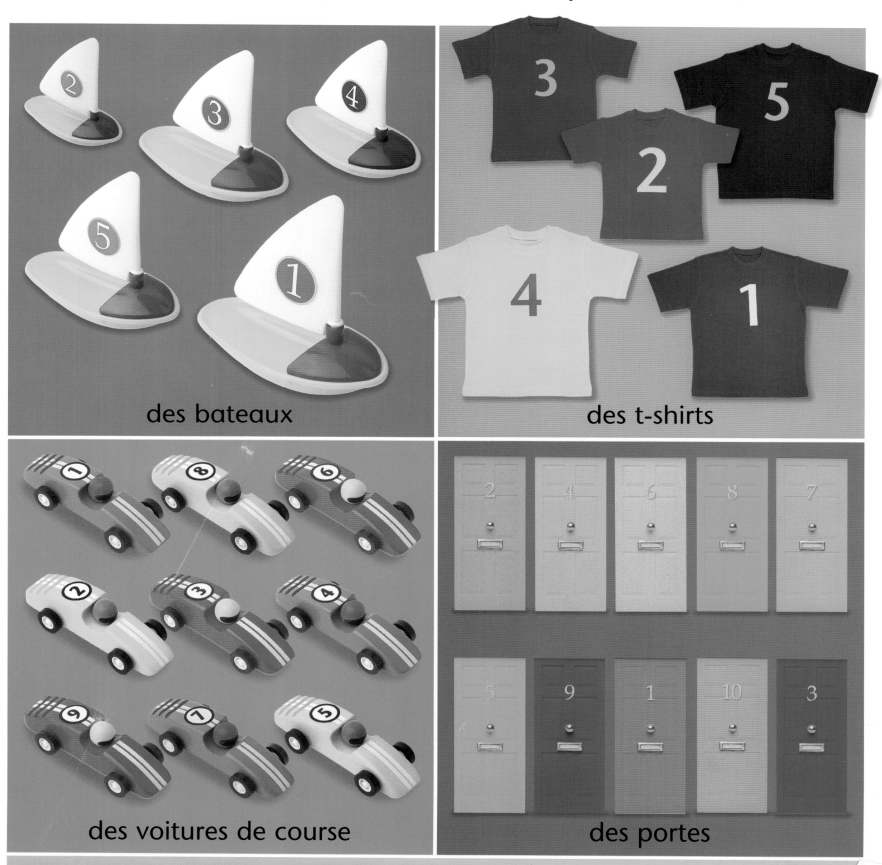

des bateaux

des t-shirts

des voitures de course

des portes

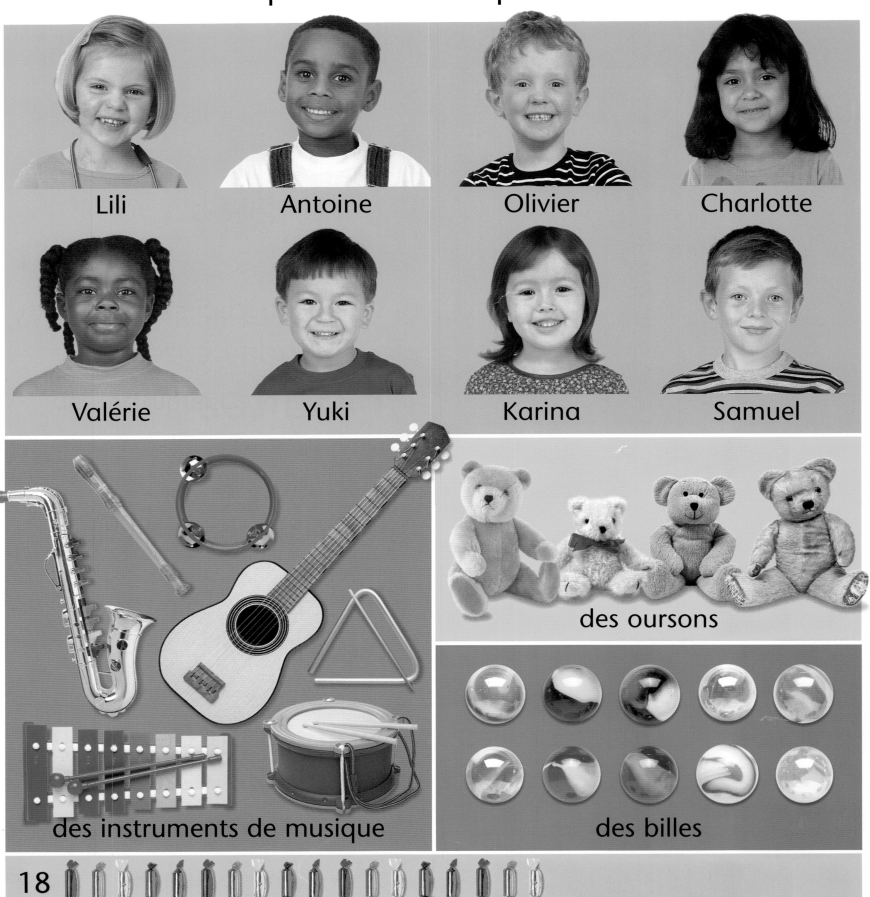

Partageons!
Compte les enfants!
Y a-t-il plus d'enfants que d'oursons?

Lili

Antoine

Olivier

Charlotte

Valérie

Yuki

Karina

Samuel

des oursons

des instruments de musique

des billes

Tous les enfants auront-ils un masque?
Est-ce que chaque enfant a une voiture?
Y a-t-il plus de ballons que d'enfants?

des animaux de la ferme

des craies

des masques

des ballons

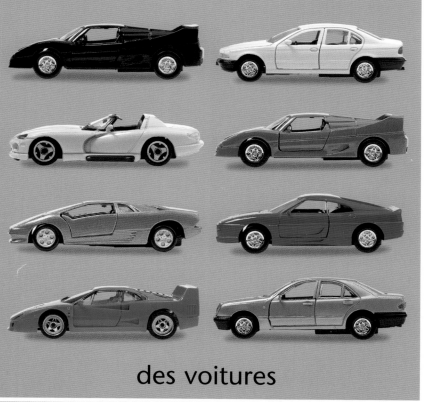

des voitures

La fête

Combien y a-t-il de gâteaux en tout?
Quel enfant a le plus de choses à manger?

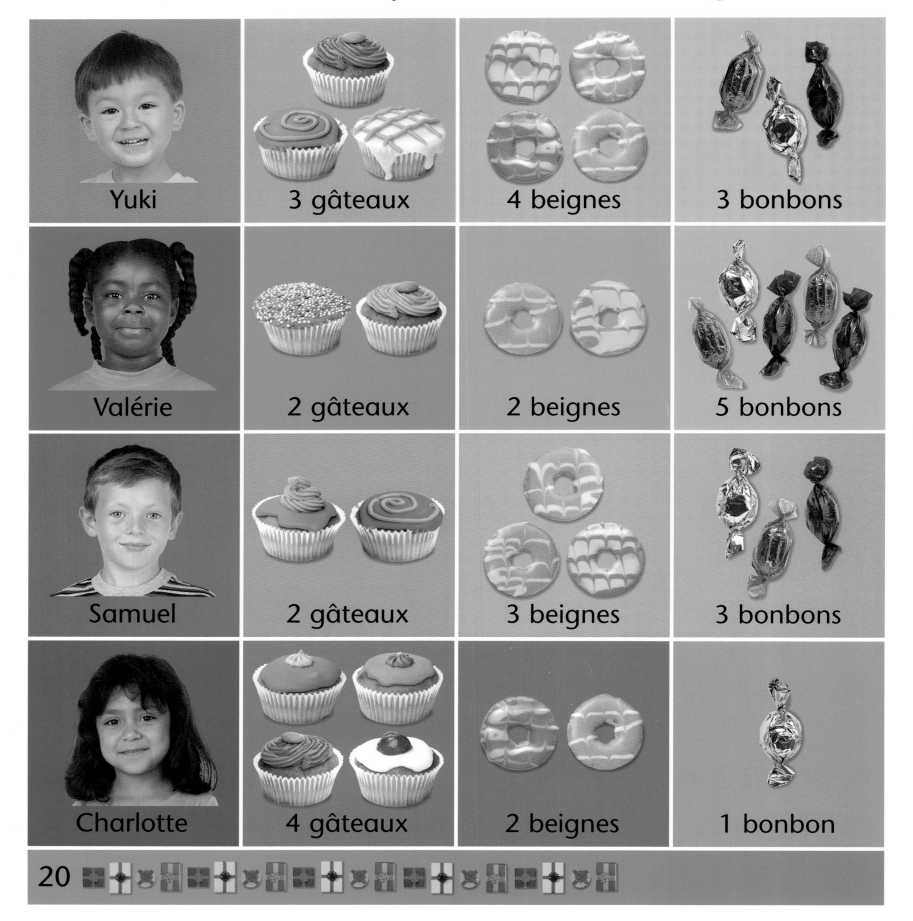

Yuki	3 gâteaux	4 beignes	3 bonbons
Valérie	2 gâteaux	2 beignes	5 bonbons
Samuel	2 gâteaux	3 beignes	3 bonbons
Charlotte	4 gâteaux	2 beignes	1 bonbon

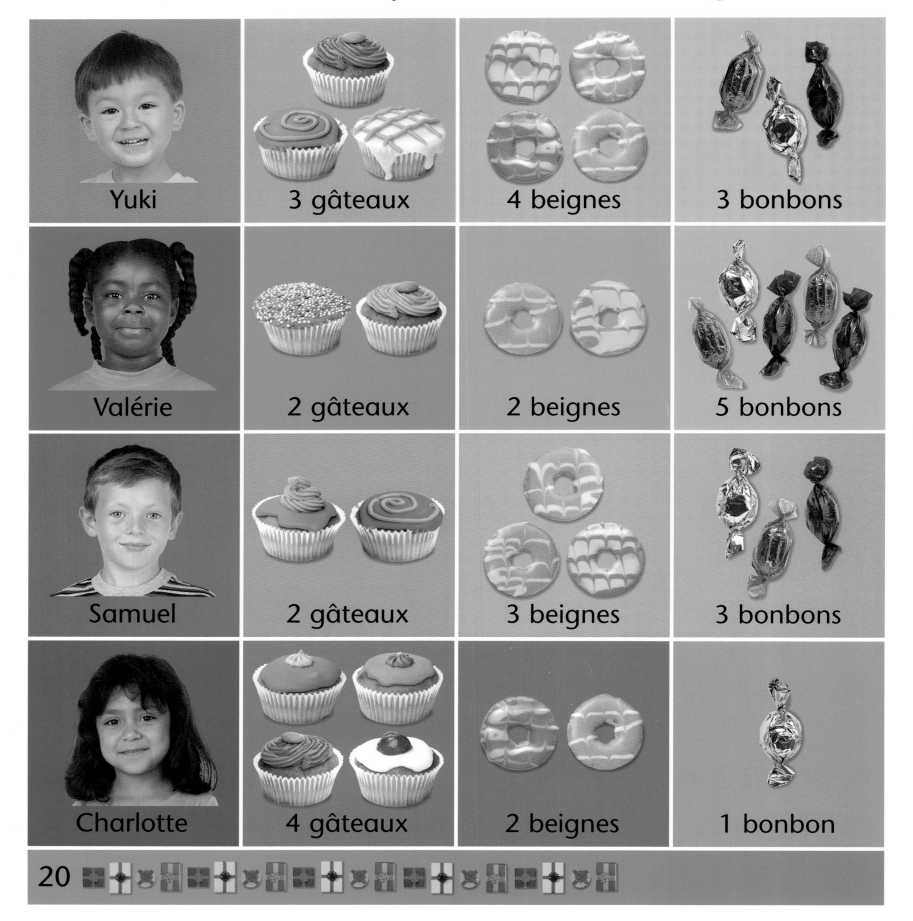

20

Les bébés animaux

Quel animal a le plus de petits?

Y a-t-il moins de chatons que de lapereaux?

La chienne a 3 chiots.

La chatte a 5 chatons.

La lapine a 6 lapereaux.

La cane a 8 canetons.

Les paires

Trouve les jumelles!
Peux-tu former les paires?

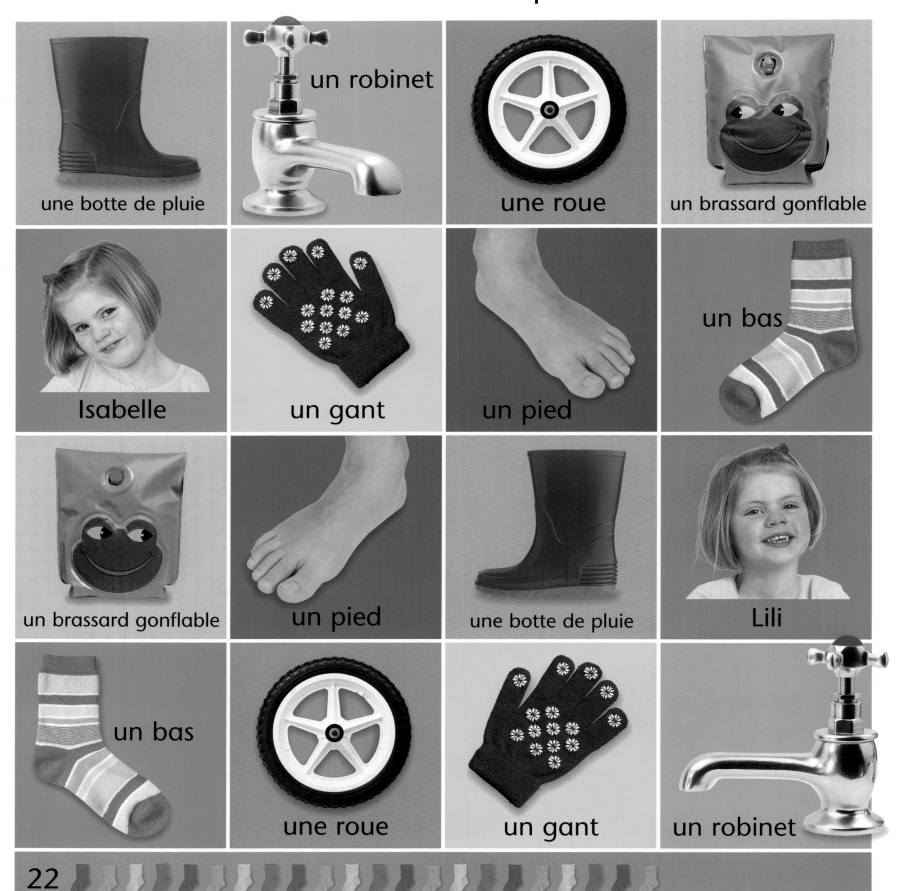

une botte de pluie

un robinet

une roue

un brassard gonflable

Isabelle

un gant

un pied

un bas

un brassard gonflable

un pied

une botte de pluie

Lili

un bas

une roue

un gant

un robinet

Compte par paires

Combien vois-tu de paires dans chaque ensemble?
Combien y a-t-il de souliers dans l'ensemble de 5 paires?

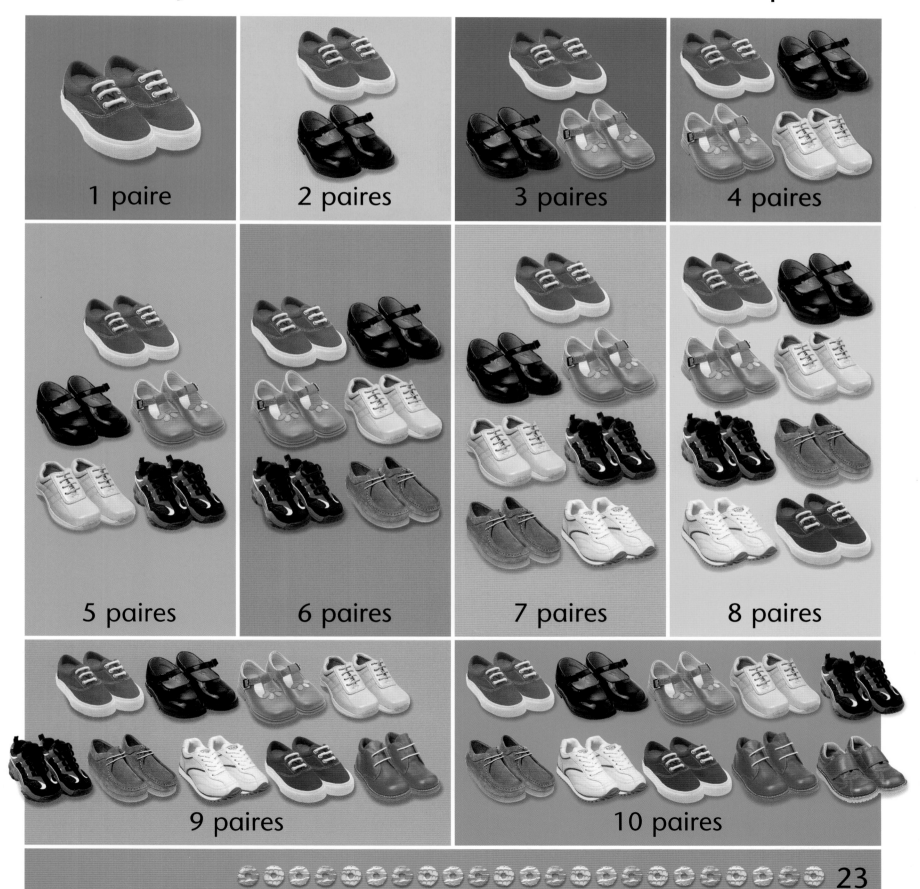

1 paire

2 paires

3 paires

4 paires

5 paires

6 paires

7 paires

8 paires

9 paires

10 paires

Les choses qui vont ensemble

Associe les choses qui vont ensemble!
Qu'est-ce qui va avec le seau?

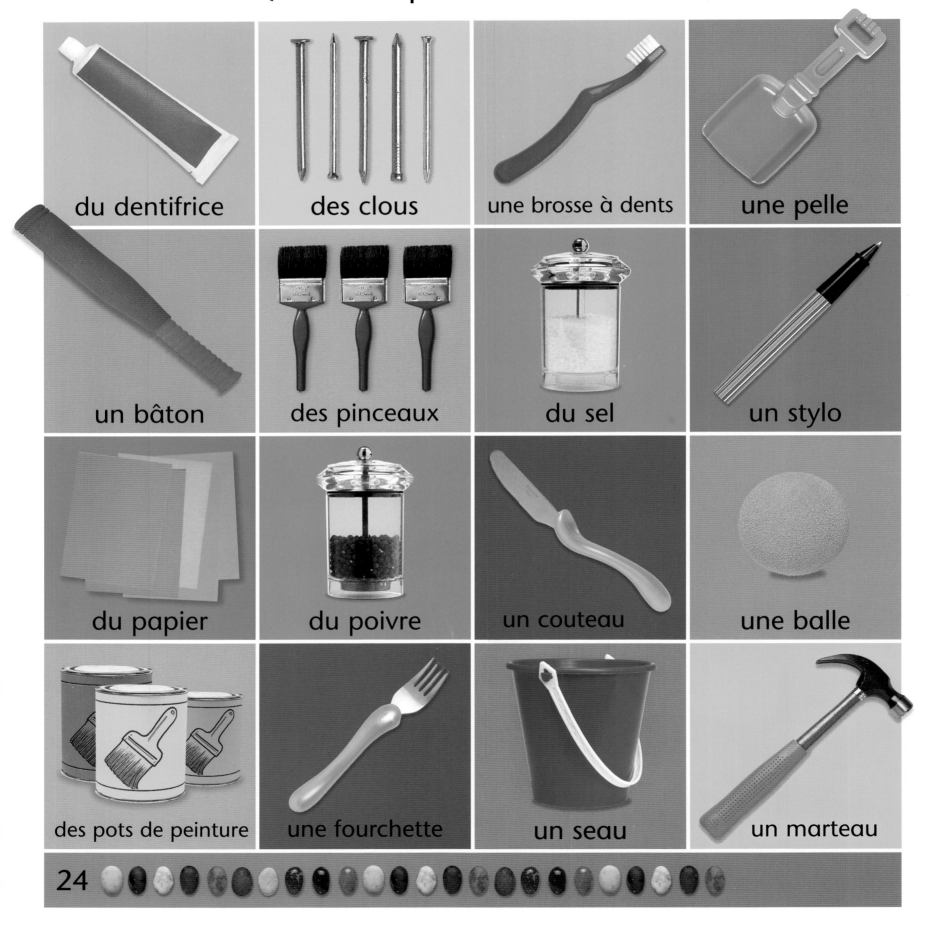

du dentifrice

des clous

une brosse à dents

une pelle

un bâton

des pinceaux

du sel

un stylo

du papier

du poivre

un couteau

une balle

des pots de peinture

une fourchette

un seau

un marteau

Ma journée

À quel moment utilises-tu ces objets?
Quand déjeunes-tu?

le matin

le jour

le soir

la nuit

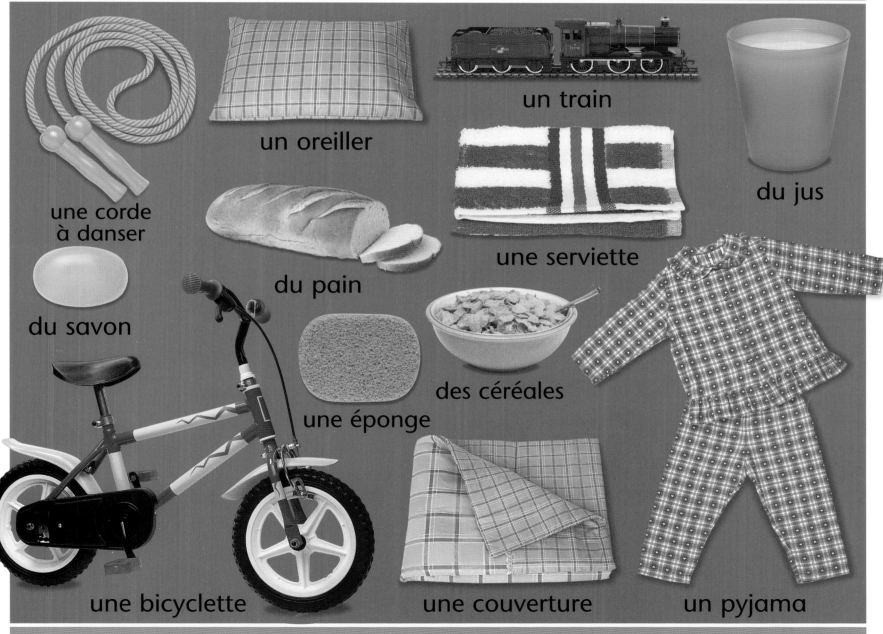

une corde
à danser

un oreiller

un train

du jus

du savon

du pain

une serviette

une éponge

des céréales

une bicyclette

une couverture

un pyjama

Trouve les intrus!

Montre l'élément différent dans chaque groupe!
Combien d'éléments différents vois-tu en tout?

des chiots

des cubes

des voitures

des fleurs

des chemises

des gâteaux

Le tambourin est-il à sa place avec les instruments?
À quel groupe appartient la carotte?
Dans quel groupe placerais-tu la fraise?

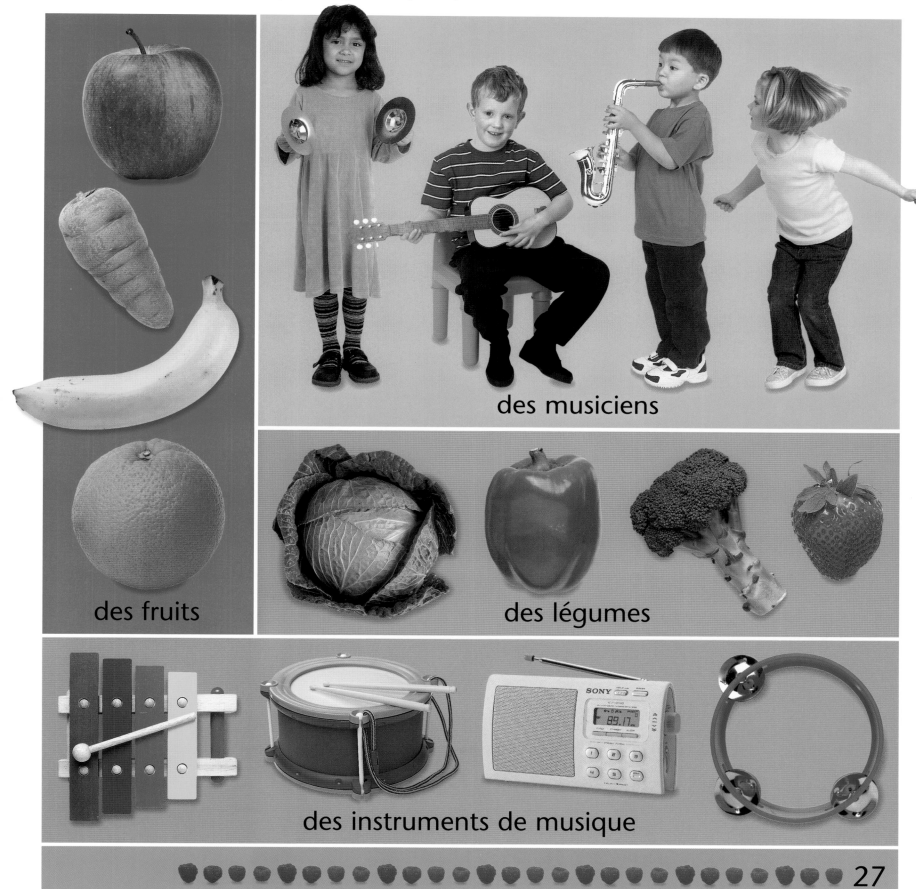

des musiciens

des fruits

des légumes

des instruments de musique

Les figures géométriques
Peux-tu nommer les figures planes?
Quelles figures sont à trois dimensions?

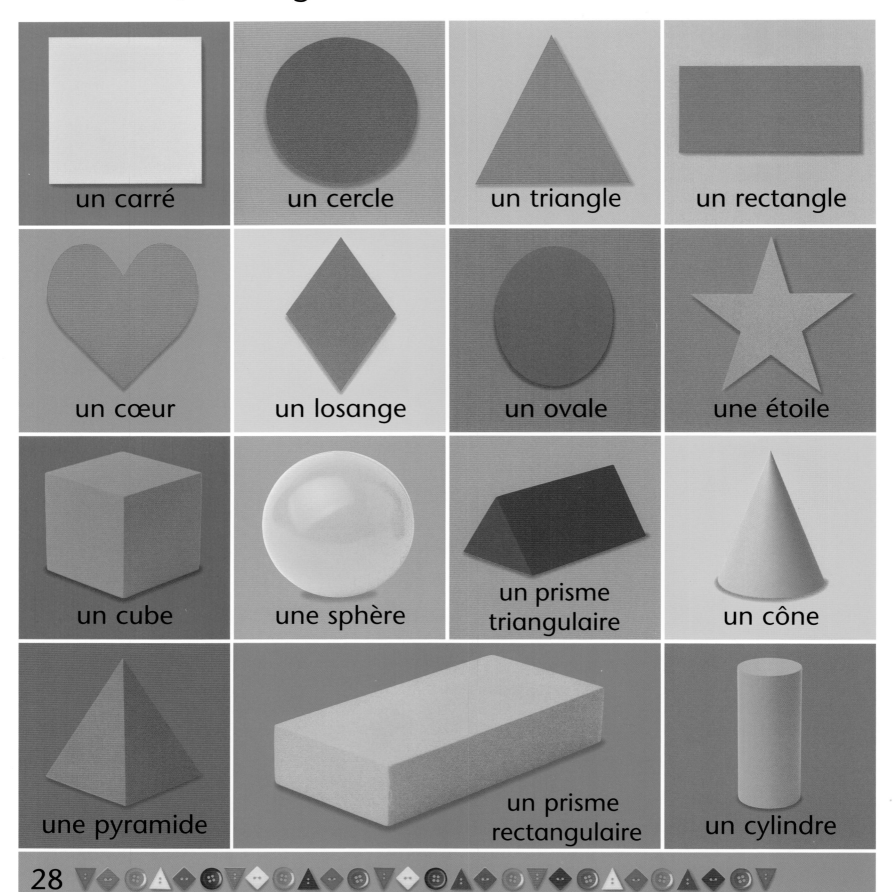

un carré

un cercle

un triangle

un rectangle

un cœur

un losange

un ovale

une étoile

un cube

une sphère

un prisme triangulaire

un cône

une pyramide

un prisme rectangulaire

un cylindre

De quelle forme est le cerf-volant?
Associe les objets et les formes!
Vois-tu un objet en forme de cône?

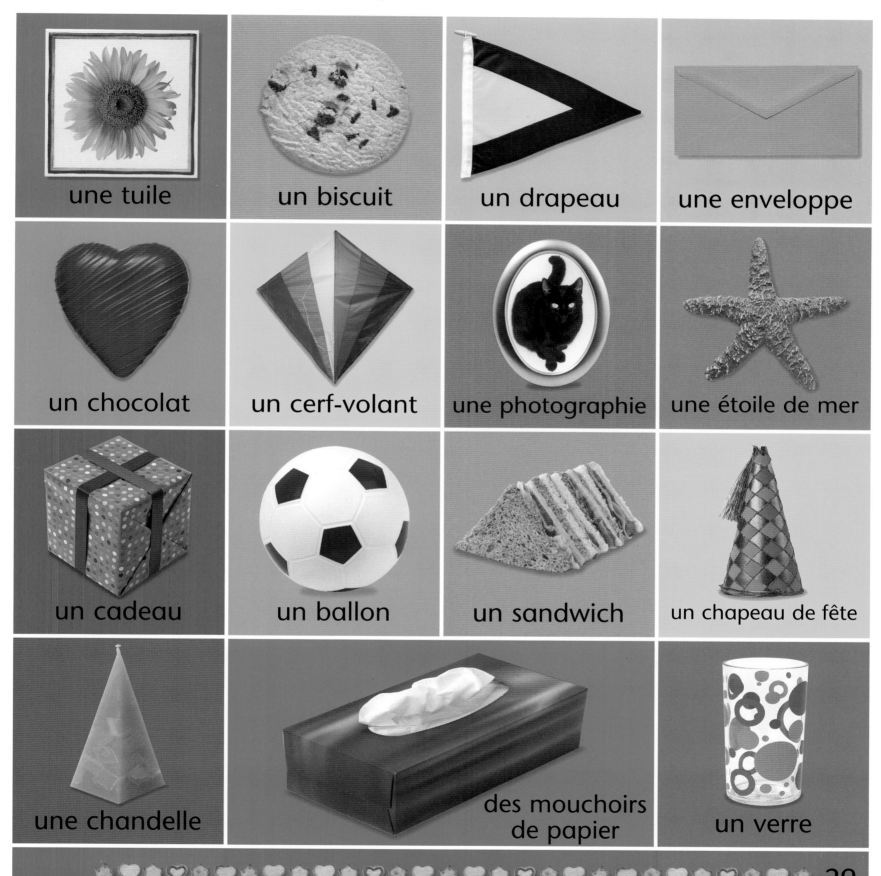

une tuile

un biscuit

un drapeau

une enveloppe

un chocolat

un cerf-volant

une photographie

une étoile de mer

un cadeau

un ballon

un sandwich

un chapeau de fête

une chandelle

des mouchoirs
de papier

un verre

Trouve les contraires!

Relie les contraires!

Quel est le contraire de vide?

long

petit

court

lourd

léger

gros

petit

grand

plein

vide

Où sont-ils?

Où sont toutes les poupées?
Où se trouvent les oursons?

dans la boîte

hors de la boîte

devant la maison

derrière la maison

en haut de la glissoire

en bas de la glissoire

sur la table

sous la table

Les motifs et les formes

Nomme les couleurs des perles du bracelet!
Combien de formes différentes vois-tu?

De quelle couleur devrait être le dernier wagon?

Quelle perle devrait remplacer
la perle blanche?

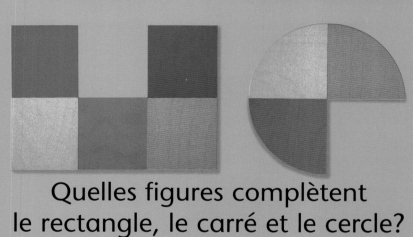

Quelles figures complètent
le rectangle, le carré et le cercle?

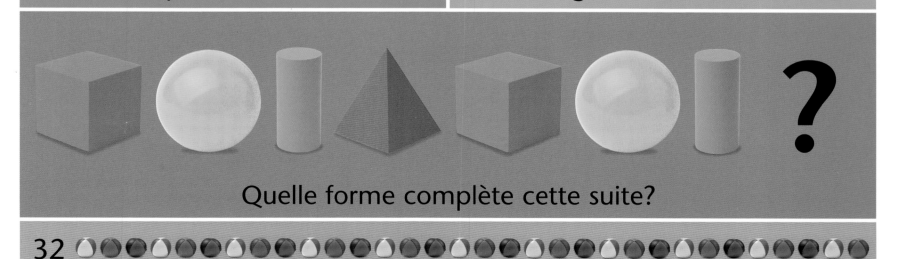

Quelle forme complète cette suite?